CÉDRIC

PREMIÈRES CLASSES

Dessin : Laudec **Scénario : Cauvin**

Couleurs: Leonardo

DUPUIS

www.cedric.kidcomics.com

D.1989/0089/17 — R.5/2005.
ISBN 2-8001-1636-6 — ISSN 0775-6658
© Dupuis, 1989.
Tous droits réservés.
Imprimé en Belgique.
www.dupuis.com

CARPETTE SPATIALE

CE JOUR-LÀ... À LA SORTIE DE L'ÉCOLE.

OUI! OUI! C'EST ÇA! AU REVOIR, MARCELINE, AU REVOIR, JEAN-BERNARD, À DEMAIN!

AU REVOIR, MADEMOISELLE!

EH!...

C'EST TOI, LE NOUVEAU!?

BEN OUI!

TU HABITES LA GRANDE MAISON BLANCHE JUSTE À LA SORTIE DU VILLAGE?

BEN OUI!

AVEC TES PARENTS?

BEN OUI!

DIS, QU'EST-CE QU'IL FAIT TON PÈRE?

BEN HEU...IL...

...ET LE TIEN?

LE MIEN?...

?

...IL EST AGENT SECRET!...

!

1

3

ALORS CÉDRIC, L'ÉCOLE, ÇA A ÉTÉ ?...

OUI 'MAN !

OUI, OUI.

'JOUR, PÉPÉ.

HEU !... AHEM LALALALA....

LALA LA....

CÉDRIC !

OUI ?

T'AS FAIT UNE CONNERIE !

MOI ? M.... MAIS NON.

CÉDRIC !

MAIS JE T'ASSURE, PÉPÉ.

T'AS PLUS CONFIANCE EN TON VIEUX PÉPÉ MAINTENANT ? MMM ?

MAIS SI, MAIS...

VAS-Y ! RACONTE.

3

BEN VOILÀ !...

...C'EST TOUT!...

OUAHAHAHA

?!
?!

SACRÉVINDJIU! ÇA FAIT QUE TU AS ÉTÉ LUI RACONTER QUE TON PÈRE ÉTAIT ASTRONAUTE!? MAIS POURQUOI TU NE LUI AS PAS DIT LA VÉRITÉ... MILDJIOU!?

JE N'AI PAS OSÉ.

QU'EST-CE QU'IL AURAIT PENSÉ SI JE LUI AVAIS DIT QUE MON PÈRE NE FAIT QUE VENDRE DES CARPETTES DANS UN GRAND MAGASIN?

OUAIS, FACE À UN AGENT SECRET, ÇA NE TIENT ÉVIDEMMENT PAS LA LONGUEUR,

AH! TU VOIS BIEN.

QU'EST-CE QU'IL VA PENSER, DEMAIN, EN REPASSANT DE L'ÉCOLE?

AH?! PARCE QU'IL VA REPASSER PAR ICI DEMAIN?...

BIEN SÛR!

POURQUOI?

BEN... POUR VOIR PAPA!

AH OUI! L'ASTRONAUTE.

OUAAHAH

PAPA!... MAIS QU'EST-CE QUI SE PASSE!? CÉDRIC, POURQUOI RIT-IL COMME CELA?!

JE... JE NE SAIS PAS MAN! JE TE JURE QUE JE NE SAIS PAS!

MAIS SI! MAIS SI! ALLEZ! VAS-Y, GAMIN! DIS-LUI... HI HI HI.....

CÉDRIC, QU'EST-CE QUI SE PASSE ?

ALLEZ, GAMIN ! RACONTE-LUI PUISQU' ELLE TE LE DEMANDE ! C'EST PAS TOUS LES JOURS QU'ON RIGOLE DANS CETTE MAISON...

JE... EUH... EH BIEN VOILÀ...

OUAAAHAHAHA HAHAHAHA...

OOOOOH ! CÉDRIC !

OUAAHA KOFF... KOFF KOFF...

MAIS, MAMAN, JE NE POUVAIS PAS LUI AVOUER QUE PAPA NE VENDAIT QUE DES CARPETTES ! IL SE SERAIT FICHU DE MOI !...

PAPA ! C'EST ENCORE TOI QUI LUI AS INVENTÉ QUE ROBERT VENDAIT DES CARPETTES !?

MOÂ !?

TON PÈRE NE VEND PAS QUE DES CARPETTES, CÉDRIC ! IL VEND AUSSI DES TAPIS ! IL N'Y A AUCUNE HONTE À ÇA !

BAH ! DES CARPETTES OU DES TAPIS, C'EST DU PAREIL AU MÊME !

OH TOI, JE SAIS QUE TU AURAIS VOULU QUE J'ÉPOUSE UN ARCHITECTE, UN AVOCAT OU UN MÉDECIN ! SEULE- MENT, J'AI ÉPOUSÉ ROBERT ET J'AIME CE QU'IL FAIT, METS-TOI BIEN ÇA DANS LA TÊTE !

MA MÈRE A ÉPOUSÉ UN POSEUR DE VOIES ! ELLE NE S'EST PAS POSÉ DE QUESTIONS NON PLUS, ELLE !

EH ! HO ! C'EST QUAND MÊME GRÂCE À NOUS SI ON FAIT PARIS-LYON EN 2H45 ! T'EN CONNAIS BEAUCOUP QUI FONT PARIS- BAGDAD EN TAPIS VOLANT EN AUSSI PEU DE TEMPS, TOI ? HEIN ?

NE SOIS PAS STUPIDE, VEUX-TU ?...

5

À FORCE D'ESSAYER DE BRISER MON MÉNAGE, UN JOUR TU AURAS UNE DRÔLE DE SURPRISE !

L'HOSPICE ?

L'HOSPICE !

CÉDRIC !

OUI, PÉPÉ ?

?

CONDUIS-MOI, VEUX-TU ?

OUI, PÉPÉ !

?!EEEH!? MAIS OÙ VAS-TU ?

ENTRE L'HOSPICE ET LE CANAL, JE PRÉFÈRE LE CANAL.

NOOOON ?

QUE VEUX-TU, GAMIN, QUAND ON EST VIEUX, ON DEVIENT UN BOULET POUR CERTAINS...

OUAIP ! UN BOULET ! BAH, COMME ÇA AU MOINS, JE COULERAI À PIC ! LE VIEUX POSEUR DE VOIES VA TERMINER SA VIE AU FOND DE L'EAU !

PAPA !

QUAND TU AURAS FINI DE DÉBITER DES IMBÉCILLITÉS, VEUX-TU BIEN REGAGNER TON FAUTEUIL ! LE DÎNER SERA PRÊT DANS DIX MINUTES !

!

QU'EST-CE QUE C'EST ?

CÔTES D'AGNEAU, POMMES FRITES, ÉPINARDS !

TU NE VAS PLUS TE JETER DANS LE CANAL ?

APRÈS LES ÉPINARDS, GAMIN, APRÈS LES ÉPINARDS...

6

DIS, PÉPÉ, ET MOI LÀ-DEDANS, QU'EST-CE QUE JE DOIS FAIRE?

ARRANGE-TOI AVEC TA MÈRE!

'MAN?

...DIS-LUI LA VÉRITÉ, VOILÀ TOUT!

MAIS JE N'OSERAI JAMAIS.

CÉDRIC, IL FAUT SAVOIR SUPPORTER LES CONSÉQUENCES DE SES ACTES! TU AS MENTI, DONC TU DOIS RÉPARER.

SLURP!

IL N'Y A PAS D'AUTRES SOLUTIONS.

SI!

AH OUI? LAQUELLE?

JE M'EN VAIS ME JETER DANS LE CANAL.

CÉDRIC, IL Y A DÉJÀ UN VIEUX FOU DANS LA FAMILLE! TU NE VAS PAS T'Y METTRE AUSSI?!

LE VIEUX FOU... JE PRÉSUME QUE C'EST MOI?

BIEN SÛR! A-T-ON IDÉE D'ALLER METTRE DES IDÉES AUSSI SAUGRENUES DANS LA TÊTE D'UN ENFANT!

ALORS ÇA, C'EST INCROYABLE! UNE SOURIS FAIT UN PET ET PAF, JE SUIS LE RESPONSABLE! MARIE-ROSE, CETTE FOIS, TU AS ÉTÉ TROP LOIN!

ALLONS, BON! ET QU'EST-CE QUE TU VAS ENCORE DÉCIDER?

DIRECTION LE CANAL, GAMIN!

ET TES ÉPINARDS PÉPÉ?

QU'ELLE S'ÉTRANGLE AVEC!

C'EST PAS BIENTÔT FINI, NON!?

7

8

BZZZZZZ

J'AI L'IMPRESSION QU'IL FAIT UN TANTINET TROP CALME ICI ! S'IL EST ARRIVÉ UNE CATASTROPHE, J'AIMERAIS QU'ON M'EXPLIQUE TOUT DE SUITE !

UNE CATASTROPHE, MAIS NOOON ! SI TU ÉTAIS REVENU QUELQUES MINUTES PLUS TARD, NOUS AURIONS DÛ ALLER REPÊCHER TON FILS ET PAPA DANS LE CANAL, MAIS À PART ÇA, RIEN DE GRAVE...

DANS ... DANS LE CANAL !?

VAS-Y, CÉDRIC EXPLIQUE-LUI ! QU'EST-CE QUE TU ATTENDS !?

OUAIS ! VAS-Y, GAMIN ! EXPLIQUE !

CÉDRIC, SI TU AS DES PROBLÈMES, TU PEUX TE CONFIER À MOI. JE SUIS TON PÈRE APRÈS TOUT...

ALLEZ SAVOIR !

PAPA !

OH ! VOUS LE BROUILLEUR DE MÉNAGES, ÇA VA HEIN !

BON ! BON ! SI ON NE PEUT PLUS RIGOLER MAINTENANT...

VAS-Y, CÉDRIC ! JE T'ÉCOUTE...

BEN VOILÀ !

... ET ALORS IL M'A DIT, QUE SON PAPA À LUI, BEN, IL ÉTAIT AGENT SECRET ! PUIS IL M'A DEMANDÉ CE QUE TOI TU FAISAIS... ALORS MOI, JE LUI AI RÉPONDU...

MFF MFRRRRR FFFRR PFFFR

9

ASTRO QUOI?

ASTRONAUTE!

OUAAAHAHAHAHA!

PAPA!

MAIS ... MAIS POURQUOI NE LUI AS-TU PAS DIT QUE JE VENDAIS DES TAPIS! IL N'Y A PAS DE HONTE À ÇA?

KOFF KOFF EUEÉRK KOFF KOFF

BEN ... JE N'AI PAS OSÉ! TU ... TU SAIS, ENTRE VENDRE DES CARPETTES ET ÊTRE AGENT SECRET...

DES, ... DES CARPETTES?

KOFF KOFF

DES CARPETTES?! MAIS JE NE VENDS PAS DE CARPETTES, MOI! QUI T'A ENCORE INVENTÉ ÇA?!

GLOP!...

J'AURAIS DÛ M'EN DOUTER.

CÉDRIC, OÙ VAS-TU?!

AU CANAL!

ENCORE?

MILLE MILLIARDS ◎ ✦✦ ☀ ⚡
JE PRÉSUME QUE, C'EST ENCORE VOUS QUI LUI AVEZ MIS CES IDIOTIES EN TÊTE!

RÉPONDS, PAPA!

10

IL Y A DES JOURS COMME ÇA...

JE... J'AI JAMAIS EU DE PAPA, MOI! ALORS, POUR FAIRE COMME LES AUTRES... JE M'EN SUIS INVENTÉ UN QUI N'ÉTAIT JAMAIS À LA MAISON! C'EST POUR CELA QUE J'AI TROUVÉ QU'IL DEVAIT ÊTRE "AGENT SECRET"! À LA T.V., UN AGENT SECRET N'EST JAMAIS À LA MAISON!

MINCE DE MINCE!

...ET MOI QUI AI ÉTÉ INVENTER CETTE HISTOIRE POUR NE PAS QUE TU TE MOQUES DE MOI...

TU NE DIRAS RIEN AUX COPAINS, HEIN! TU ME LE JURES!?

ATTENTION CHÉRI, LES VOILÀ!

SALUT, FISTON!

?

?!

?

OUAAAHAHA HAHAHA

C'EST GENTIL, 'PA, MAIS IL NE FALLAIT PAS! JE... HIHI.... JE LUI AI TOUT AVOUÉ!

AH? AH BON!

C'EST FORMIDABLE CE QUE VOUS AVEZ FAIT POUR CÉDRIC, M'SIEUR! J'AURAIS AIMÉ AVOIR UN PÈRE COMME VOUS! ÇA AURAIT ÉTÉ DRÔLEMENT CHOUETTE!

N'EMPÊCHE, J'AI L'AIR DE QUOI, MOI, MAINTENANT?

VOUS VOULEZ VRAIMENT QUE JE VOUS LE DISE?

PAPA!

...MAIS....MAIS OÙ VAS-TU ENCORE?

AU CANAL!

NE COMPTE PAS SUR MOI POUR T'Y CONDUIRE... JE VEUX BIEN Y ALLER, MOI!

ROBERT, NE TE MÊLE PAS DE ÇA, VEUX-TU?!

DIS DONC, QU'EST-CE QU'IL Y A COMME AMBIANCE CHEZ TOI!

Laudec - CAUVIN

12

RHAĀĀĀĀ ! MAIS ENFIN, QU'EST-CE QUI SE PASSE ? C'EST UN BULLETIN, ÇA !?

...

DEUX SUR DIX EN GÉOGRAPHIE, QUATRE SUR DIX EN FRANÇAIS, CINQ EN DICTÉE... TU N'AS PAS HONTE, DIS ?

HEIN !

MAIS ENFIN, CÉDRIC, QU'EST-CE QUI T'ARRIVE ? TU TRAVAILLAIS MIEUX AVANT...

À TABLE !

IL FAUDRA QUE ÇA CHANGE, FISTON ! JE NE SUPPORTERAI PAS D'AVOIR UN IGNARE DANS LA FAMILLE !

CÉDRIC, TU NE MANGES PAS ?

'PAS FAIM...

TU NE TE SENS PAS BIEN ?

TU N'ES PAS MALADE AU MOINS ?

NON.

FICHEZ-LUI LA PAIX À CE GAMIN ! IL FAUT VRAIMENT ÊTRE AVEUGLE POUR NE PAS S'APERCEVOIR DE CE QUI NE VA PAS !...

AH ! PARCE QUE VOUS LE VOYEZ, VOUS ?!

BIEN SÛR QUE JE LE VOIS ! JE NE SUIS PAS NÉ DE LA DERNIÈRE PLUIE, MOI !

MOI, SI, SANS DOUTE ?!

AH ! NON ! VOUS N'ALLEZ PAS ENCORE RECOMMENCER TOUS LES DEUX !

1

NATURELLEMENT, ÇA ARRIVE CHAQUE FOIS QUE NOUS SOMMES À TABLE !

QU'EST-CE QUE VOUS Y CONNAISSEZ À CÉDRIC !? C'EST MON FILS, APRÈS TOUT !

MAMAN C'EST CERTAIN, PAPA C'EST PAS TOUJOURS ÉVIDENT, BEAU-FILS.

OOOH !

PAPA !

BON, BON ! JE RIGOLAIS !

PAS SÛR !

CHÉRI, TES ÉPINARDS...

JE RIGOLAIS, JE VOUS DIS !...

'N'A QU'À MANGER LES ÉPINARDS !... SI AU MOINS IL POUVAIT S'ÉTOUFFER AVEC !...

JE TE L'AI TOUJOURS DIT ! TON MARI N'A JAMAIS EU BEAUCOUP LE SENS DE L'HUMOUR !

ROBERT !

ÒÒÒH ! TOI... JE... JE...

ET PAF ! JE TE VOIS VENIR ! ÇA VA ENCORE ÊTRE DE MA FAUTE !

ET PUIS ZUT !... MOI NON PLUS JE N'AI PLUS FAIM ! TU PEUX TERMINER LE REPAS TOUT SEUL !

EH BIEN, MERCI !

RACONTE, FISTON !

...J'AI RIEN À DIRE, PÉPÉ !

SCHWIÔMP
SCHWIIÔMP

GLOUGLOU

MMM...?

ELLE EST JOLIE ?

GLOP !

16

CHHHHHT!..

MIÔM MIÔM... RIEN DIT MOI! MIÔM...

COMMENT TU AS DEVINÉ PÉPÉ?

IL N'Y A PAS TELLE-MENT LONGTEMPS, J'AVAIS TON ÂGE, GAMIN!

ALORS? ELLE EST MIGNONNE!?

HÉ, HÉ! DEMAIN, J'IRAI TE CONDUIRE À L'ÉCOLE! TU ME LA MONTRERAS!?

OUAIS! BIEN SÛR! TU VERRAS, ELLE EST DRÔLEMENT CHOUETTE!

LE LENDEMAIN...

C'EST ELLE?

NON!

C'EST L'UNE D'ENTRE ELLES!?

NOOON!

...NON PLUS!?

NON PLUS!

?

OOOH... LÀ!!.. LA VOILÀ PÉPÉ!

BONJOUR CÉDRIC!

..'JOUR MOISELLE!

EH! OH! ÇA VA PAS LA TÊTE?! NON MAIS... TU AS VU SON ÂGE? ELLE POURRAIT ÊTRE TA MÈRE!

JE SAIS, MAIS C'EST PLUS FORT QUE MOI, PÉPÉ.

SACRÉNONDIDJÛ! IL Y A UN TAS DE GAMINES DE TON ÂGE ICI ET TU T'EN VAS JUSTEMENT CHOISIR CELLE-LÀ!

LES AUTRES SONT MOCHES! ELLE, ELLE EST CHOUETTE!

C'EST PAS VRAI! MAIS C'EST PAS VRAI! J'AURAI VRAIMENT TOUT VU AVANT MON DERNIER RÂLE!

PÉPÉ! EH! PÉPÉ...

... EXCUSEZ-MOI, CHER MONSIEUR, VOUS ÊTES SANS DOUTE LE PÈRE DE CÉDRIC!?

QUI... M... MOI? OH NON! PAS DU TOUT!

LUI, C'EST MON PÉPÉ, MADEMOISELLE!

SON PÉPÉ!? VOUS PARAISSEZ TELLEMENT JEUNE... JE NE VOUDRAIS POINT ÊTRE INDISCRÈTE, MAIS QUEL ÂGE AVEZ-VOUS!?

EUH... 78 ANS...

TOUTES MES FÉLICITATIONS, CHER MONSIEUR! VOUS NE LES PARAISSEZ VRAIMENT PAS! TU VIENS CÉDRIC?

!

C'EST... C'EST VRAI QU'ELLE N'EST PAS MAL, CETTE PETITE...

PÉPÉ!

CÉDRIC!

4

BLAM

SMOUTCH!

SALUT, CHÉRIE! QU'EST-CE QU'ON MANGE CE SOIR?

DES ÉPINARDS.

ENCORE?!

CE SONT CEUX D'HIER, TU TE RAPPELLES?

HIER?

AH OUI, HIER!... COMMENT SE PORTE CE VIEUX FOU AUJOURD'HUI?

ROBERT, NE RECOMMENCE PAS! L'ATMOSPHÈRE EST DÉJÀ SUFFISAMMENT LOURDE COMME ÇA!

AÏE AÏE AÏE, QU'EST-CE QUI SE PASSE ENCORE?

AH ÇA... DEMANDE-LEUR! DEPUIS QUE CÉDRIC EST RENTRÉ DE L'ÉCOLE, ILS SE FONT LA TÊTE!

ENCORE QUELQUE CHOSE QUI NE VA PAS!?

MOI? NOOON...

ET À MOI, ON NE DEMANDE RIEN?

VOUS, JE NE VOUS ADRESSE PAS LA PAROLE!

DOMMAGE! J'AVAIS POURTANT DES CHOSES INTÉRESSANTES À DIRE!

TIENS DONC! ÇA VOUS ARRIVE PARFOIS?

L'ÉCOUTE PAS PAPA, IL RADOTE.

JE SAIS POURQUOI LE GAMIN NE TRAVAILLE PAS BIEN À L'ÉCOLE!

...ET POURQUOI IL VIT D'AMOUR ET D'EAU CLAIRE!

JE RADOTE MOI?

MILLE MILLIARDS DE ※◎!⚡ DITES DONC, VOUS DEUX, LES TROTTOIRS NE SONT PAS FAITS POUR LES CHIENS!..

PÛÛÛT PÛÛÛT

?

MAIS....

MAIS.... MAIS....

POM POM POM POM BLAM BLAM

MAIS... MAIS ILS SONT COMPLÈTEMENT DINGUES!... QU'EST-CE QUE JE LEUR AI FAIT ?!... ...

VROMM

ÇA LUI APPRENDRA À NOUS COUPER L'HERBE SOUS LE PIED, À CET ENFOIRÉ!

POUR SÛR, PÉPÉ....

?!!

NOUS POUVONS DORMIR TRANQUILLES, CHÉRIE, ILS VIENNENT DE RENTRER! ET AINSI SE TERMINE UN MAGNIFIQUE ROMAN D'AMOUR, HA HA HA....

QU'EST-CE QU'ILS FONT À PRÉSENT?

JE CROIS QU'ILS TERMINENT DE MANGER LES ÉPINARDS!

ENFIN... CE N'EST PAS TROP TÔT!

CAUVIN - Laudec

NUIT CHAUDE À PANAME

RRRR RRR...

ET À PRÉSENT, VOICI LE GRAND FILM DE LA SOIRÉE... CELUI-CI SERA DIFFUSÉ AVEC LE CARRÉ BLANC...

CE SOIR, LES NUITS CHAUDES DE PANAME...

RRRR...

...AVEC DANS LES RÔLES PRINCIPAUX, JEAN-PAUL KALENDO, MYRIAM ASHEEL, KURT VALENTINO...

ALICE SASPRITCH ET JAME... ... ...

RRRR... FRR...

RRRRR PFFF...

RRRRR... PFFF.....

RHÔÔÔ!

RHÔÔ... RHÔÔ!

BRÔÔÔM!
VRÔÔM

QUELLE SOIRÉE! ON M'Y REPRENDRA, À ALLER DANS CE GENRE DE COCKTAIL...

TIENS? C'EST ENCORE ALLUMÉ DANS LE LIVING...

COMMENT VA CÉDRIC ?

IL DORT,

RHÔOOO!

JE SAIS QUE TOUT A ÉVOLUÉ, MONSIEUR LE VICAIRE, MAIS QUAND MÊME! JE PRÉFÉRAIS LA BELLE ÉPOQUE OÙ TOUS LES RELIGIEUX PORTAIENT LA SOUTANE. ÇA IMPOSAIT LE RESPECT...

IL FAUT ÊTRE DE SON TEMPS, MADEMOISELLE NELLY.

AVEC VOS HABITS CIVILS, ON VOUS DISTINGUE À PEINE DU COMMUN DES MORTELS!

C'EST JUSTEMENT POUR NE PAS CHOQUER QU'ON S'HABILLE COMME TOUT LE MONDE... LA SOUTANE, C'EST L'ANCIEN TEMPS...

NOUS SOMMES EN 1987 MADEMOISELLE NELLY! PLACE À L'OUVERTURE PORTONS NOS REGARDS VERS L'AVENIR... ACCEPTONS LA MODERNISATION!

'MOISELLE, IL Y A CÉDRIC, QUI NE VA PAS BIEN! IL RESTE DANS UN COIN, IL NE VEUT PAS JOUER ET IL NE PARLE À PERSONNE!

EFFECTIVEMENT, CE N'EST PAS NORMAL!

4

CE N'EST PAS DANS SES HABITUDES

BAH, UN PETIT CHAGRIN D'AMOUR SANS AUCUN DOUTE! HAHAHA! C'EST DE LEUR ÂGE.

HÉ BIEN, CÉDRIC, IL Y A QUELQUE CHOSE QUI NE VA PAS?...

OUAIS! EXPLIQUE-NOUS, VIEUX! ON PEUT PEUT-ÊTRE ARRANGER ÇA!

O.K.! JE VOIS CE QUE C'EST! C'EST UN PROBLÈME À NE DISCUTER QU'ENTRE HOMMES! VOULEZ-VOUS NOUS LAISSER UN INSTANT, MADEMOISELLE NELLY!

ÇA VA, COPAIN! ELLE EST PARTIE. VIENS PRÈS DE MOI,... ALORS?... RACONTE, QU'EST-CE QUI T'ARRIVE?

C'EST... C'EST PARCE QUE J'AI REGARDÉ LA TÉLÉ.

LA TÉLÉ? ET QUELQUE CHOSE T'A EFFRAYÉ? LA GUERRE IRAN-IRAK? L'IRANGATE? L'HEURE DE VÉRITÉ AVEC GEORGES MARCHAIS?

LES.. LES NUITS CHAUDES DE PANAME...

LES QUOI ?!

...LES NUITS CHAUDES DE PANAME! JE VOUS L'AI DIT, QUOI!

GLOP!

C'EST,... EUH,... NORMAL QUE ÇA T'A CHOQUÉ, MON GARS! CE GENRE DE FILM N'EST PAS POUR LES ENFANTS DE TON ÂGE! QU'EST-CE QUE TU AS VU?

HEIN?

RACONTE...

DES MECS QUI N'ARRÊTAIENT PAS DE SE TAPER DESSUS! ET ÇA SAIGNAIT, IL Y AVAIT DU SANG PARTOUT... PARTOUT...

ET... ET ENSUITE?

ENSUITE?

RIEN!

RIEN? COMMENT ÇA, RIEN?

5

J'AI ENTENDU L'AUTO DE MON PÈRE, JE SUIS VITE ALLÉ AU LIT ET J'AI FAIT SEMBLANT DE DORMIR...

HÉ HÉ HÉ !

PFIOUUUWW

BAH, CE N'EST RIEN, MON PETIT ! DE LA VIOLENCE, TU EN VERRAS, HÉLAS, ENCORE SOUVENT ! C'EST NOTRE SIÈCLE QUI VEUT ÇA ! PLUS TARD, TU COMPRENDRAS...

MAIS À L'AVENIR, IL FAUT ME PROMETTRE UNE CHOSE ! QUAND TES PARENTS S'ABSENTERONT ENCORE, NE T'ATTARDE PLUS DEVANT LA TÉLÉ ! VA AU LIT COMME TOUS LES ENFANTS DE TON ÂGE !

O.K. ! À PRÉSENT, VA JOUER, COPAIN !

PROMIS, MONSIEUR LE VICAIRE.

ALORS ?

BAH, C'EST ARRANGÉ ! IL A SIMPLEMENT REGARDÉ LE DÉBUT D'UN FILM QUI EST PASSÉ HIER SOIR, ET QUI N'ÉTAIT PAS DE SON ÂGE !

LÀ ! VOUS VOYEZ ! AH, C'EST JOLI L'ÉPOQUE ACTUELLE ! VOILÀ QU'ILS PASSENT DES FILMS SUR LE SEXE À L'HEURE OÙ LES GOSSES NE SONT MÊME PAS ENCORE COUCHÉS.

MAIS NOOON

CÉDRIC A PROFITÉ DE L'ABSENCE DE SES PARENTS ! DIEU SOIT LOUÉ, IL N'A VU QUE LE DÉBUT DU FILM PARCE QUE, APRÈS... HOU LA LA... C'ÉTAIT CORSÉ !

RHÔÔÔ !

DIS DONC, CÉDRIC, TU AS DE BEAUX POINTS PARTOUT MAIS EN RELIGION, MAZETTE, À UN POINT PRÈS, TU FAISAIS LA RISETTE AU ZÉRO !

QU'EST-CE QUI S'EST PASSÉ ?

TU T'ES BAGARRÉ AVEC LE PROF OU QUOI ?

'SAIS PAS ! IL A D'ABORD DIT QU'IL ÉTAIT MON COPAIN, C'EST APRÈS QUE ÇA A MAL TOURNÉ ! À PRÉSENT, IL A L'AIR DE M'EN VOULOIR...

...ET JE NE SAIS MÊME PAS POURQUOI !

CAUVIN
Laudec

DES MÔMES EN PÉTARD

CE JOUR LÀ...

MADEMOISELLE!
MADEMOISELLE!

OUI,
NICOLAS?

CÉDRIC...
EH BEN ...CÉDRIC...

EH BIEN
QUOI, CÉDRIC?
QU'EST-CE
QU'IL A
FAIT?

BEN ...
EUH ...JE SAIS
QU'IL EST AMOU-
REUX DE VOUS!

C'EST PAS VRAI! C'EST PAS VRAI!...

SI, C'EST
VRAI! SI,
C'EST VRAI!

ET D'ABORD, IL L'A DIT À MICHEL
QUI L'A DIT À ALBERT QUI L'A
DIT À LA GRANDE BERTHE QUI
L'A DIT À MOI!

C'EST PAS
VRAI! C'EST
PAS VRAI!...

C'EST
PAS VRAI!

C'EST VRAI,
JE DIS!

ALLONS, ALLONS, VALÉRIE,
CALME-TOI, ET TOI, NICOLAS,
VA REJOINDRE TES CAMA-
RADES, LA RÉCRÉATION
VA SE TERMINER DANS
QUELQUES MINUTES.
PROFITEZ-EN...

BBRRLLBZZBRLLL...

SALE
CAFTEUR!

CÉDRIC, SI ÇA T'INTÉRESSE, JE TE
SIGNALE QUE
VALÉRIE VIENT
PAR ICI!

QU'EST-CE
QU'ELLE A ENCORE
À RACONTER
CELLE-LÀ?!

DEUX SECONDES
PLUS TARD...

IL A DIT ÇA?

OH OUI QU'IL L'A
DIT! MÊME QUE
MAMOISELLE
ELLE A SOURI!

JE LE SAIS BIEN,
J'ÉTAIS LÀ...

XIV/1

CÉDRIC!...

CHHHT!...

TU NE TROUVES PAS QU'IL A L'AIR BIZARRE?

UN PEU, OUI! ET À PRÉSENT, VA JOUER AILLEURS! ON VA RÉGLER ÇA ENTRE GARÇONS...

OÙ EST-IL?

NICOLAS D'AULNAY DES CHARENTES DU VENTOU!

HEIN? QUI ÇA?

BOUGE PAS DE LÀ! JE VAIS ALLER VOIR!

BOUGE PAS, HEIN!

EEEH! CÉDRIC!

PÔM PÔM PÔM

PÔM PÔM PÔM

ÇA Y EST! JE SAIS OÙ IL EST. IL SE DOUTE QUE QUELQU'UN T'A DÉJÀ MIS AU COURANT, ALORS, EN ATTENDANT LA FIN DE LA RÉCRÉ, IL S'EST CACHÉ...

OÙ ÇA?!

DANS LES TOILETTES!

DANS LES TOILETTES... YÊK YÊK YÊK!

?

XIX/2

PCHHHHH

MAIS... QU'EST-CE QUE?!

AAAAHH!

C'EST NICOLAS, M'SIEUR ! JE L'AI VU ! IL EST PARTI PAR LÀ !...

NICOLAS, ICI !

MONSIEUR OLIVIER !... MAIS QU'EST-CE QUE VOUS FAITES ? VOUS N'AVEZ PAS LE DROIT DE LEVER LA MAIN SUR LES ENFANTS !

JE VAIS ME GÊNER, TIENS !

PAF PAF PAF

OIINN...

LA RÉCRÉATION EST TERMINÉE ! TOUT LE MONDE EN RANG DEUX PAR DEUX ! CÉDRIC, JE VOUDRAIS VOUS VOIR APRÈS LA CLASSE. J'AURAIS À VOUS PARLER...

MOI !.. MAIS !..

OIINN...

IL N'Y A PAS DE MAIS, COMPRIS ?

CÉDRIC, J'AI BIEN PEUR QUE TU N'AIES AGGRAVÉ TON CAS !

TU... TU CROIS QU'ELLE A DEVINÉ ?

J'AI BIEN PEUR QUE OUI !...

XIX.14

FIN

MES ENFANTS, MES ENFANTS !... JE VOUS DEMANDE QUELQUES SECONDES D'ATTENTION, S'IL VOUS PLAÎT !...

CLAP CLAP CLAP

PERMETTEZ-MOI DE VOUS PRÉSENTER MONSIEUR GÉRARD LEMAIRE ! MONSIEUR LEMAIRE EST PSYCHOLOGUE ! À DATER DE CE JOUR, IL SERA À VOTRE SERVICE DANS CETTE ÉCOLE !

SI L'UN D'ENTRE VOUS A QUELQUES PETITS PROBLÈMES, IL POURRA LE CONSULTER QUAND BON LUI SEMBLERA, ET LUI POSER LES QUESTIONS QU'IL DÉSIRERA.

EST-CE BIEN CLAIR ? QUELQU'UN A-T-IL UNE QUESTION À POSER ?

M...MOI, MADE-MOISELLE !

VAS-Y, CÉDRIC ! JE T'ÉCOUTE !

C'EST QUOI AU JUSTE, UN PSYCHO... UN PSYCHO...

UN PSYCHOLOGUE ?

ENVOYEZ-LE DANS MON CABINET, MADEMOISELLE NELLY, JE ME FERAI UN PLAISIR DE LUI EXPLIQUER PERSONNELLEMENT...

C'EST TRÈS GENTIL, MERCI.

CÉDRIC, SUIS MONSIEUR LEMAIRE, IL VA TOUT T'EXPLIQUER. LES AUTRES REGAGNENT LA CLASSE EN SILENCE.

ALLEZ, VIENS ! N'AIE PAS PEUR !

CAUVIN-Laudec

PEU APRÈS...

VOIS-TU, CÉDRIC, TOUT ÊTRE HUMAIN QUI VIT SUR TERRE A, PAR MOMENTS, DES PROBLÈMES D'ORDRE PSYCHIQUE QUI PEUVENT CRÉER DES TROUBLES PROFONDS DANS SON MÉTABOLISME...

...SUIS-JE CLAIR ?

?

NOUS, NOUS SOMMES LÀ POUR DÉTERMINER LES CAUSES DE CES PROBLÈMES ET LES GUÉRIR... ...TU COMPRENDS ?

BEN...

TU VAS COMPRENDRE ! CÉDRIC, AS-TU DES PROBLÈMES ?

NN... NOON !

VOYONS, CÉDRIC JE SUIS LÀ POUR T'AIDER ! TU PEUX TOUT ME DIRE... AVOUE ! TU N'AS VRAIMENT AUCUN PROBLÈME ?...

BEN... EUH SI !..

EH BIEN VOILÀ ! CE N'EST PAS PLUS DIFFICILE QUE CELA !

AH BEN NON ALORS !

QUEL GENRE DE PROBLÈMES ?

?

ATTENDS ! ATTENDS ! LAISSE-MOI DEVINER...

MMM... ON M'A DIT QUE TU ÉTAIS UN ÉLÈVE MOYEN... MM... DONC À MON AVIS, CE SERAIT PLUTÔT DES PROBLÈMES FAMI-LIAUX QUI T'EMPÊCHENT DE BIEN TE CONCENTRER...

CÉDRIC, COMMENT SE COMPORTENT TES PARENTS AVEC TOI ?...

BEN... JE... ILS...

ILS TE GRONDENT ?.. BEN...

SOUVENT ?.. BEN...

ILS TE BATTENT ? AH NON ! AH NON !

CÉDRIC, SOIS SINCÈRE, MON PETIT ! C'EST POUR TON BIEN ... ILS TE BATTENT HEIN ?!...

BEN...

CÉDRIC !

BEN OUI !..

PAUVRE PETIT !

JE... JE PEUX M'EN ALLER, M'SIEUR ?

ET ENTRE EUX... ILS... ILS SE BATTENT AUSSI !?...

AH NON ! NON ! MOI TOUT SEUL, M'SIEUR !

CÉDRIC !

BEN... SANS DOUTE !.. OUI... PARFOIS.

ET À PRÉSENT, J'PEUX M'EN ALLER, M'SIEUR... DITES ?..

UNE HEURE PLUS TARD...

ALORS DOCTEUR, IL A COMPRIS ?

MADEMOISELLE... PUIS-JE VOUS PARLER UN INSTANT EN PRIVÉ ?..

QUOI ? COMMENT ? LES PARENTS DE CÉDRIC !? ÇA ALORS ! JAMAIS JE N'AURAIS PENSÉ QUE...

SOUS DES DEHORS AFFABLES, GENTILS MÊME, DES PARENTS SONT SOUVENT DES MONSTRES...

ET... QUE COMPTEZ-VOUS FAIRE ?...

JE LE RECONDUIRAI CHEZ LUI ! JE VEUX AVOIR UNE CONVERSATION FRANCHE ET DIRECTE AVEC SES PARENTS !

EH, CÉDRIC, TU NE VIENS PAS JOUER !?

FICHE-MOI LA PAIX !

ALLONS, CÉDRIC ! VIENS ! N'AIE PAS PEUR ! TU VERRAS, TOUT VA S'ARRANGER !

MONSIEUR DUPONT, JE ME PRÉSENTE, GÉRARD LEMAIRE, PSYCHOLOGUE DIPLÔMÉ DE MON ÉTAT ! PUIS-JE VOUS ENTRETENIR QUELQUES INSTANTS ?

JE... JE VOUS EN PRIE, ENTREZ !..

SALUT, FISTON! QU'EST-CE QUI T'ARRIVE, FIEU? TU EN TIRES UNE TÊTE?

'JOUR PÉPÉ!..

COMMENT ÇA? MOI, J'AI BATTU MA FEMME!..

ET MON FILS AUSSI!?... ET POURQUOI PAS VIOLE LE PÉPÉ TANT QUE VOUS Y ÊTES?!..

SACRÉNONDENON... QUI EST-CE QUI SE TROUVE À L'INTÉRIEUR, GAMIN?

MONSIEUR LEMAIRE, PÉPÉ C'EST UN PSY... UN PCHISSO...HEU... UN PSYCHOLOGUE.

MILLE MILLIARDS DE

CHÉRI! MODÈRE TON LANGAGE!

CEDRIIIIIIIC!

ALLONS, COURAGE, GAMIN! TON PÈRE A SÛREMENT BESOIN QUE TU LUI FOURNISSES QUELQUES EXPLICATIONS.

C'EST PAS MA FAUTE, 'PA! C'EST LUI! IL ME POSAIT UN TAS DE QUESTIONS, ET MÊME QU'IL RÉPONDAIT EN MÊME TEMPS!

MAIS... MAIS...

JE M'EN DOUTAIS!

HALTE-LÀ! JE VOUS DÉFENDS DE TOUCHER CE PETIT, PARCE QU'IL A OSÉ ME DIRE TOUTE LA VÉRITÉ...

OOOH, MAIS CE N'EST PAS LUI QUE JE COMPTE TOUCHER!

CHÉRI VOYONS CALME-TOI!..

LE LENDEMAIN...

SI CE PETIT A ENCORE DES PROBLÈMES, IL VAUDRA MIEUX, DANS L'AVENIR, QU'IL APPRENNE À LES RÉSOUDRE LUI-MÊME!

CAUVIN-LAUDEC

L'ÉGLISE AU MILIEU DU VILLAGE

Mon église ! Mon église est située au milieu du village, entourée de maisons, sur la place...

papa dit qu'elle est du style gothique,

ou roman...

ou baroque... enfin il ne se souvient plus très bien...

par contre, ce dont il se souvient, c'est qu'elle doit avoir été construite en... enfin vers les années 1300 sous le règne de Louis 10 Louis 9 à moins que ce ne soit Louis 11 ! oui, c'est ça, Louis 11...

ensuite elle a été en det détruite par les visighots...

... incendiée par François premier...

VII/1

38

reconstruite vers 1800 et des poussières, mais ça, il ne sait plus par qui...

...incendiée pendant la guerre 14/18 mais par les allemands avec des bombes...

...rebâtie à la libération avec les américains et les sénégalai sous le règne d'Edmond Gallaire qui était maire à ce moment-là!...

ROCK IN CHAIR

et terminée par le papa de François Valette qui a posé encore des ardoises l'année passée...

et qui est mort d'un infractus il y a dix jours, même qu'on a tous été à l'enterrement dans l'église.

HAHAHAHA HAHAHAHA HAHAHAHA HAHAHAHA

À TON AVIS, CÉDRIC, COMBIEN DOIS-JE DONNER COMME NOTE À CETTE RÉDACTION ?

QUAND ON SAIT PAS, ON DIT RIEN!

C'EST VRAI, ROBERT! ON N'INDUIT PAS AINSI SON FILS EN ERREUR!...

EST-CE DE MA FAUTE, S'IL A TOUT MÉLANGÉ ?!...

OUAHAHAHAHAHA!! MOI, JE NE LA TROUVE PAS MAL, CETTE RÉDACTION. AU MOINS, ELLE SORT DE L'ORDINAIRE!

PAPA! TAIS-TOI, VEUX-TU!...

CAUVIN - LAUDEC

VII/2

QU'EST-CE QUE JE SERAIS FIER SI MON PAPA S'APPELAIT RAMBO !

TU AS QUELQUE CHOSE CONTRE ROBERT DUPONT ! HEIN ?

DIS ?

OH NOOON !

HEUREUX DE TE L'ENTENDRE DIRE ! PARCE QUE SI TU ES DE CE MONDE, CE N'EST PAS GRÂCE À TOUS LES MUSCLES DE MAMBO !

RAMBO !

RAMBO... MAIS AUX MIENS !

OUI, JE SUIS AU MONDE, MAIS TOUT FRÊLE ET TOUT CHÉTIF COMME...COMME

COMME MOI. NON MAIS VAS-Y, OSE LE DIRE !

J'LE DIS PAS !

ET D'ABORD, MÊME TARZAN IL EST PLUS FORT QUE TOI !

ÇA T'AURAIT FAIT PLAISIR D'AVOIR CHITA COMME PETITE SOEUR FILS DE NAVE !

QU'EST-CE QUI SE PASSE ?

IL SE PASSE QUE TON FILS PRÉFÈRE LE GENRE RAMBO-TARZAN AU STYLE ROBERT SON PROPRE PÈRE ! AH, ELLE EST BELLE, LA JEUNESSE !

C'EST NORMAL ! CHAQUE FOIS QUE TU L'EMMÈNES AU CINÉMA, C'EST CE GENRE D'IDIOTIES QUE TU LUI FAIS VOIR !

CÉDRIC, HABILLE-TOI, FISTON, ON VA AU CINÉMA

OOOH CHOUETTE !

PLUS TARD...

EH, HO, PÉPÉ, MON PAPA IL EST AUSSI FORT QUE LOUIS DE FUNÈS !

LÀ, TU VOIS !

OUAIP, IL SUFFISAIT D'Y PENSER !

LA FIN JUSTIFIE LES MOYENS

HÉ! HO! ÇA NE VOUS DIRAIT RIEN D'ALLER JOUER AILLEURS, LES GAMINS!?

O.K! ÇA VA! J'AI COMPRIS! ÇA VOUS SUFFIT POUR VOUS ACHETER DES BONBONS!?

ON AIME MIEUX ALLER AU CINÉMA!

T'AURAIS PU LUI DIRE QU'ON AIMAIT AUSSI LES BONBONS!

FAUT PAS TROP DEMANDER!

CAUVIN - Laudec

FIN
VIII/2

MAIS... MAIS QU'ESSST-CE QUE JE FAIS LÀ, MÔA ?!...

?!

HIPZZZ !

EEEEH ! OOOH ! LES GOSSES ! VOUS EN ALLEZ PAS ! HOUPS ! J'AI BESOIN DE VOUS ! AU SECOUUUUUURS ! À L'AIDE !

EEEEH ! NE ME LAISSEZ PAS TOMBER... AU SECOUUUUUURS !

HIPS !

N'EMPÊCHE, JE PERSISTE À CROIRE QU'À UNE CERTAINE ÉPOQUE, LE PORT DE LA SOUTANE INSPIRAIT LE RESPECT TANDIS QUE' MAINTENANT...

HAHAHA, IL FAUT ÊTRE DE SON TEMPS, MADE-MOISELLE NELLY !

LES JEUNES ONT ÉVOLUÉ ! POUR EUX, LA SOUTANE, C'EST DU PASSÉ. POUR ESSAYER DE LES COMPRENDRE, IL FAUT SAVOIR VIVRE COMME EUX, À DU CENT À L'HEURE...

BRATATATA

BRATATATATA

RATATATA

BRATA

EEEH ! ROGER ! ROGER !

ON VIENT DE VOIR MONSIEUR DUBONNET, LÀ-BAS DANS SA BAGNOLE !

OUI... MÊME QU'AU DÉBUT, IL CHANTAIT !...

IL CHANTAIT ? IL CHANTAIT QUOI ?

EUH... AH OUI !... ♪ ...DANS LE LIT DE LA MARQUIÎÎÎÎSE ÉTAIENT QUATRE-VINGTS CHASSEUUURS ♪ OOO ♪

IX/2

CÉDRIC !

C'EST VRAI MADEMOISELLE, MÊME QU'ELLE EST TOUTE RETOURNÉE !

EH BIEN, ÇA NE M'ÉTONNE PAS! VIENS CHANTAL, VIENS MA PETITE POULETTE!

MAIS... CE N'EST PAS MOI QUI...

EH, ROGER, TU VAS PAS VOIR?

CÉDRIC! ON DIT MONSIEUR LE VICAIRE, VEUX-TU!

LAISSEZ-LES DONC, MADEMOISELLE NELLY! C'EST MOI QUI LEUR AI DEMANDÉ DE ME NOMMER PAR MON PRÉNOM!

NON, CÉDRIC! JE N'AI VRAIMENT PAS LE TEMPS D'ALLER ÉCOUTER UN IVROGNE CHANTER DES CHANSONS DE CORPS DE GARDE.

MAIS ELLE EST TOUTE RETOURNÉE...

NE T'EN FAIS PAS POUR TA COPINE! MADEMOISELLE VA BIEN S'EN OCCUPER! DANS PEU DE TEMPS, ELLE AURA OUBLIÉ!

MAIS CE N'EST PAS CHANTAL...

RAT

RATATATA TATATATA TATATA

SALUT!

C'EST LA BAGNOLE!

VRROOOAR

ALLONS, MES ENFANTS! À PRÉSENT, ENTREZ DANS LA CLASSE! NOUS AVONS PERDU ASSEZ DE TEMPS COMME CELA!

QUELQUES HEURES PLUS TARD...

C'EST ÇA! AU REVOIR, VALÉRIE! AU REVOIR, JOËL! AU REVOIR, ALAIN!

...ET IL NE VOUS A PAS CRUS?!

BEN NON!

MÊME QU'IL A DIT QU'IL N'AVAIT PAS LE TEMPS D'ÉCOUTER UN IVROGNE QUI CHANTAIT DES CHANSONS DE... DE... ÇA JE NE SAIS PLUS!

MILLE MILLIARDS DE ➜ ATTENDEZ QUE JE SORTE D'ICI! VA Y AVOIR UN CURÉ DE MOINS! C'EST MOI QUI VOUS LE DIS!

IX/3

EN ATTENDANT, VOUS ALLEZ FONCER À LA CASERNE DES POMPIERS LEUR DIRE QUE JE SUIS ICI! VOUS ME LE JUREZ, HEIN?

JURÉ!

TCHOFF!

...ET EN REVENANT, PASSEZ CHEZ BORIS ME PRENDRE UNE BIÈRE OU DEUX! QUAND ILS M'AURONT SORTI D'ICI, J'AURAIS BIEN BESOIN DE ÇA POUR ME CALMER...

OUI, M'SIEUR!

TROIS HEURES PLUS TARD...

...NOUS, AU DÉBUT, ON NE LES CROYAIT PAS!

OUAIP! C'EST POUR ÇA QU'ON A MIS UN PEU LONGTEMPS...

PENSEZ, PARFOIS DES GOSSES, ÇA RACONTE N'IMPORTE QUOI...

N'EMPÊCHE! MOI À VOTRE PLACE, J'IRAIS TOUT DE MÊME PASSER UNE PETITE VISITE À L'HÔPITAL! ON NE SAIT JAMAIS...

NAN!

MAIS OÙ ALLEZ-VOUS?

?!

ME CONFESSER!

ET... LE LENDEMAIN...

EEEH! SALUT, ROGER!

VROOOAR PÊT-PÊT

BONJOUR, MÔSSIEUR LE VICAIRE, VEUX-TU?!

?!?

TIENS, HEUREUSE DE VOIR QUE VOUS AVEZ CHANGÉ D'AVIS!

OUAIS! JE VEUX BIEN ÊTRE COPAIN COPAIN, MAIS TOUT DE MÊME...

IL Y A DES LIMITES!

IX/4

FIN

CAUVIN-LAUDEC

TOUTE LA FAMILLE SE RETROUVE CHAQUE SEMAINE DANS LE JOURNAL

SPIROU

ET SUR

SPIROU.COM

CAUVIN - Laudec '00